오래된, 골동품 상점

글 찰스 디킨스 | 그림 산티아고 칼레 | 옮김 윤영

스푼북

오래된 골동품 상점에서의 생활

넬 트렌트 이야기를 시작해 볼까 해. 넬의 부모님은 넬이 아주 어릴 적에 돌아가셨어. 지금 넬은 열세 살이고, 어릴 때 기억은 거의 남아 있지 않아.

넬은 할아버지와 함께 살았어. 할아버지는 친절하고 따뜻한 분이었지.

그리고 무엇보다 상상을 초월하는 진짜 이상하고 신기한 가게를 운영하고 있었어. '오래된 골동품 상점'엔 뭐든 다 팔아. 옛날 갑옷, 녹슨 검에서부터 오래된 의자와 색실로 짠 그림까지.

넬과 할아버지는 가게 위 조그만 집에 살았단다. 그들의 삶은 즐거움과 마법으로 가득 차 있었어. 겨울이 오면 넬은 난롯가에 앉아 할아버지에게 책을 읽어 드렸어. 영웅과 용, 기사가 나오는 재미있는 이야기책이었지.

그러면 할아버지는 넬에게 엄마 이야기를 해 주었어. 넬이 엄마랑 얼마나 닮았는지, 목소리나 말투는 또 얼마나 비슷한지 알려 주었지. 여름이 오면 두 사람은 가끔 들판으로 나가 초록 숲에서 숨바꼭질을 하면서 놀았어. 그렇게 시간을 보내고 집으로 돌아오면 몸은 피곤하지만 너무 행복했지.

넬의 할아버지 가게에는 크리스토퍼 너블즈라는 종업원 청년이 있었어. 사람들은 그를 키트라고 불렀지. 키트는 원래 나이보다 더 어려 보였어. 소년 같은 명랑한 생김새에 언제나 미소를 잃지 않았거든. 키트는 넬을 무척 좋아해서 항상 넬을 보살펴 주려 했어.

넬의 할아버지는 손녀를 위한 일이라면 뭐든 최선을 다했어. 누구나 영원히 살 수 없다는 걸 알았기에, 할아버지는 자기가 죽고 나면 넬에게 무슨 일이 생기지는 않을까 늘 걱정

했어. 오래된 골동품 상점으로는 많은 돈을 벌지 못했어. 할아버지는 넬이 혼자서 가난하게 살게 될까 봐 마음이 놓이지 않았지.

그런데 이상하게도 사람들은 넬의 할아버지가 부자라고 생각했어. 넬과 할아버지가 검소하게 사는 것도 부자인 걸 숨기려고 꾸며낸 모습이라고 생각했지. 이렇게 생각했던 사람 중에 리처드 스위블러라는 젊은 남자가 있었어.

리처드는 가슴이 따뜻한 사람이었지만 아주 똑똑한 편은 아니었어. 그리고 약간 게을렀지. 리처드는 언젠가 넬과 결혼하면 좋겠다고 생각했어. 돈 많은 넬의

할아버지가 돌아가시면, 넬이 그 돈을 다 물려받을 거라고 생각했거든. 넬과 결혼하면 자기도 그 돈을 갖게 될 거라 믿은 거야.

리처드는 두 사람에게 돈이 한 푼도 없다는 걸 몰랐어. 심지어 넬의 할아버지는 돈에 너무 쪼들린 나머지 도박에까지 손을 댔는데 말이지. 할아버지는 손녀에게 남겨 줄 큰돈을 따기 위해 몇 시간씩 카드 게임을 했어. 하지만 게임을 하면 할수록 돈은 점점 더 사라졌지. 그는 큰돈은커녕 단 한 푼도 벌지 못했어.

사정이 급해진 할아버지는 도박을 계속하기 위해 돈을 빌리기로 했어. 그리고 이때부터 본격적인 문제가 시작되었지.

할아버지는 다니엘 퀼프라는 사람에게 돈을 빌렸어. 퀼프는 런던 탑 맞은편 강둑에 사무실을 갖고 있었어. 그는 사람들에게 돈을 빌려 주고, 이자를 잔뜩 붙여 돈을 돌려받았어. 제때 돈을 갚지 못하면 사람들이 가진 부동산이든 물건이든 닥치는 대로 빼앗아 버렸어.

퀼프는 그리 만나고 싶은 사람이 아니었어. 눈을 마주치는 것조차 꺼려지는 사람이었지. 키는 엄청 작은데 머리는 거인의 몸에나 어울릴 정도로 무척 컸어. 사악해 보이는 까만 눈동자에 삐죽삐죽 튀어나온 까맣고 뻣뻣한 턱수염은 철사 같았어. 길게

기른 손톱은 구불거렸고 말이야.

최악은 미소였어. 그가 미소를 지을 때면 젖힌 입술 사이로 몇 개 남아 있는 무시무시한 누런색 이가 드러났지. 목소리도 끔찍했어. 친절함이라고는 찾아볼 수 없는 앙칼지고 날카로운 목소리가 귀를 찔렀어.

"마지막으로 빌려 간 돈이 70파운드예요. 하룻밤 사이에 그 돈을 다 날리고 갚지 않았죠. 그런데 제가 왜 돈을 더 빌려드려야 하죠?"

퀼프가 넬의 할아버지에게 쏘아붙였어.

"이번엔 다를 거요, 퀼프 씨. 3일 연속으로 큰돈을 따는 꿈을 꿨거든요."

할아버지가 대답했어.

"아, 꿈을 꿨다고요? 겨우 꿈이요?"

퀼프가 빈정거렸어. 그리고 입을 떡 벌리고 기분 나쁘게 웃었어.

"제발! 날 위해서 빌려 달라는 게 아니오. 넬을 봐서 빌려 달라는 거요."

"넬? 아, 그 고아 말이군요. 불쌍한 넬."

"내가 하는 일은 전부 넬을 위한 거라오."

할아버지가 말했어.

퀼프는 회중시계를 꺼내더니 아주 유심히 들여다보는 척했어.

"미안하지만 시간이 없어요. 중요한 사업 약속이 있어서."

퀼프는 하나도 미안하지 않은 말투로 말했어.

물론 실제로 약속 같은 건 없었어. 퀼프는 오래된 골동품 상점을 나가며 뒤를 흘깃 돌아

보았어. 그리고 할아버지의 슬픈 얼굴을 보고는 씨익 웃었지.
그에겐 다른 사람을 불행하게 만드는 것만큼 즐거운 일이 없었거든.

탈출

퀼프가 더 이상 돈을 빌려줄 생각이 없다는 걸 깨달은 넬의 할아버지는 모든 걸 잃은 느낌이었어. 너무나 슬퍼한 나머지 몸져누웠고, 머지않아 몸 상태가 매우 위독해졌어.

넬은 최선을 다해 할아버지를 보살폈어. 하지만 상황은 점점 더 나빠지기만 했지.

퀼프는 그들이 가진 집과 골동품 상점을 빼앗아 버렸어.

"당신들이 제때 돈을 갚기만 했다면 내가 이 흉측한 가게를 빼앗을 필요도 없었을 텐데요."

퀼프가 빈정거렸어.

퀼프는 자기 변호사에게 법률 문서를 몇 가지 작성하게 했어. 그 가게가 이제 자기 것이라는 걸 증명할 서류 말이야. 샘슨 브래스라는 변호사는 비쩍 마른 족제비처럼 생긴 남자로 목소리가 무척 특이했어. 겁을 먹은 듯하

면서 동시에 따분해하는 듯한 목소리였지. 그리고 그는 퀼프가 시키는 일이라면 뭐든 다 했어.

샘슨 브래스는 리처드 스위블러의 상사이기도 했어. 리처드는 샘슨이 넬과 넬의 할아버지, 그리고 오래된 골동품 상점에 대해 떠들고 다니는 이야기를 자주 들었어.

샘슨이 넬과 할아버지가 엄청난 재산을 숨기고 있다고 믿었기 때문에, 리처드 역시 자연스레 그렇게 믿게 된 거야. 그러던 어느 날 리처드는 넬과 할아버지가 가게와 집을 잃었다는 소식을 들었고, 그들을 안쓰럽게 여겼어.

다니엘 퀼프가 오래된 골동품 상점을 손에 넣은 후 가장 먼저 한 일은 키트를 해고하는 것이었어. 키트는 기분이 좋지 않았지만 어쩔 도리가 없었지.

다니엘 퀼프와 샘슨 브래스는 오래된 골동품 상점 안에 있는 방으로 이사를 했어. 그들이 정말로 거기 살고 싶어서 간 건 아니야. 넬과 할아버지가 골동품 상점 2층에 계속 살고 있는 걸 알고 그들을 괴롭히려고 간 거였지.

퀼프는 파이프 담배를 심하게 피워댔어. 계속 담배 연기를 피워 2층 침실에 누워 있는 아픈 노인을 쫓아낼 생각이었던 거야.

넬의 할아버지는 건강이 조금 나아지긴 했지만 완전히 회복하진 못한 상태였어. 어느 날 저녁, 퀼프가 할아버지를 만나러 왔어. 할아버지는 의자에 앉아 있고, 넬은 그 옆에 등받이 없는 조그만 의자에 앉아 있었지.

"건강이 나아지셨다니 다행이네요. 이제 꽤 기운을 차리신 거죠?"

퀼프가 맞은편에 앉으면서 물었어.

"아, 그렇소."

할아버지가 힘없이 대답했어.

"잘됐네요. 이제 이 집을 비워 주셔야 하거든요."

"그건 힘들 것 같소."

"물건들은 제가 다른 사람에게 넘기기로 했

습니다.”

“물건이라고요?”

할아버지가 당황해서 물었어. 하지만 넬은 퀼프가 무슨 말을 하는지 알 것 같았어.

“가구, 검, 낡은 색실 그림, 가게에 있는 온갖 잡동사니를 다 팔기로 약속했다고요. 그것들을 언제 다 옮기면 될까요? 음…… 오늘 저녁은 어떨까요? 물건을 치우면서 두 분도 같이 이 집을 떠나 주시면 되겠네요.”

“오늘 오후라고요? 하…… 금요일까지 기다려 줄 수는 없을까요?”

할아버지가 묻자 퀼프가 한숨을 쉬며 대답했어.

“어쩔 수 없죠. 하지만 딱 금요일까지입니다.”

목요일 저녁이 되었어. 할아버지는 그동안 말하지 못한 속마음을 털어놨어. 넬에게 가게를 지키지 못해 미안하다며 용서를 구했지.

"그런 말 하지 마세요. 제가 용서하고 말고 할 문제가 아니에요."

넬이 말했어.

"아무래도 가구를 치우고 상점을 비우는 모습을 보기는 힘들 것 같구나."

할아버지는 내일 아침 퀼프나 샘슨이 나타나기 전에 미리 집을 떠나는 게 좋겠다고 말했어.

"걸어서 들판도 지나고, 숲도 지나고, 강가도 걷게 될 거야. 하지만 아무리 힘들어도 이 가게에 남아 있는 것보다는 나을 것 같구나. 이제 우리 가게가 아닌 그의 가게니까."

할아버지는 퀼프의 이름조차 입에 담을 수 없었어.

다음 날 해가 떠오르자, 두 사람은 계단을
내려가기 시작했어. 계단에서 삐그덕 소리가
날 때마다 멈춰 섰지. 혹시나 퀼프와 샘슨이

깰까 봐 걱정이 된 거야. 하지만 걱정할 필요가 없었어. 가게 뒤쪽 방에서 코 고는 소리가 시끄럽게 울려 퍼지고 있었거든. 마치 돼지 두 마리가 누가 더 끔찍한 소리를 내는지 경쟁하는 듯했어.

넬과 할아버지는 가게 문 앞에 서서 녹슨 빗장을 열었어. 상쾌하고 시원한 공기가 그들을 맞아 주었어. 6월의 아름다운 새벽이었지. 하늘은 구름 한 점 없이 새파랬어.

넬과 할아버지는 퀼프에게서 자유로워졌어. 하지만…… 가난했어.

이제 이 둘은 어디로 가야 할까?

어떻게 살아야 할까?

넬의
기나긴 모험

넬과 할아버지는 온 나라를 떠돌며 끝없는 모험을 했어. 넬은 마치 자기가 읽던 이야기책 속에 들어와 사는 듯한 느낌이 들었지.

두 사람은 인형극을 하면서 전국을 누비는 두 남자와 함께 다녔단다. 그러다 그들은 밀랍 인형을 마차에 싣고 이곳저곳을 떠도는

여자를 만나게 되었어. 그 여자는 발길 닿는 곳 어디에서나 밀랍 인형 전시회를 열었어.

넬은 여행을 하며 자잘한 일을 해서 돈을 벌었어. 낡은 인형 옷도 고치고, 밀랍 인형 전시회를 알리는 전단도 나눠 주었지. 가끔은 할아버지도 소소한 일을 도왔어. 넬은 할아버지를 걱정스럽게 지켜보았단다. 마치 할아버지가 어린아이이고, 넬이 어른이 된 듯한 모습이었지.

대체로 행복한 나날을 보냈지만, 넬은 여전히 악몽을 꾸었어. 매일 밤 사악하게 웃는 다니엘 퀼프의 커다란 얼굴이 나타나는 악몽을 말이야.

때때로 넬은 길을 지나가다 퀼프의 새카만

눈과 흉측한 미소를 언뜻 본 것 같은 착각이 들기도 했어.

복잡한 도시와 작은 마을을 수없이 많이 지나, 넬과 할아버지는 시골에 다다랐어. 넬은 뺑

뚫린 시골이 좋았어. 구불구불 이어진 초록 언덕을 보는 것도 좋았고, 신선하고 상쾌한 공기를 마시는 것도 좋았지.

하지만 아무리 초록 풀과 신선한 공기가 가득해도 그들이 춥고, 배고프고, 고달프다는

사실에는 변함이 없었어. 그들은 길을 가다 만나는 친절한 사람들에게 먹을 것과 잘 곳을 구걸할 수밖에 없었지.

그러던 넬과 할아버지에게 행운이 찾아왔어. 마틴이라는 교사를 만나게 된 거야. 그는 단순하고 겸손한 남자였어.

세 사람이 잉글랜드와 웨일스의 경계에 있는 초록 언덕에 다다랐을 때 마턴 씨가 설명했어.

"저는 여기서 그리 멀지 않은 마을로 가는 중이에요. 그 마을 학교에서 교사로 일할 예정이거든요. 저랑 같이 가지 않으실래요? 같이 묵을 곳도 찾을 수 있을 거예요."

처음에 넬과 할아버지는 확신이 서지 않았어. 하지만 서로의 춥고 배고픈 얼굴을 보자 마턴 씨의 의견대로 하는 게 좋겠다 싶었지.

조그만 시골에는 벽이 초록 담쟁이로 뒤덮인 오래된 교회가 있었어. 그리고 교회 근처에 돌로 지은 낡은 집이 두 채 있었지.

이 중 한 채는 교사들이 사는 집이었어. 그리고 다른 한 채는 비어 있었어. 원래 이 집에

살던 백 살 먹은 노인이 안타깝게도 최근에 세상을 떠났대. 그 노인의 일은 교회의 열쇠를 관리하면서, 일요일엔 교회 문을 여닫고, 방문객들에게 교회를 소개하는 것이었어.

마턴 씨는 오랜 친구인 목사를 찾아가 넬과 할아버지의 사정을 털어놓았어.

넬과 할아버지에게 머물 곳이 필요하다는 이야기에 친절한 목사는 곧바로 빈집을 내주기로 했단다. 그리하여 두 사람은 돌로 지은 집에 들어가게 되었고, 넬은 교회를 관리하는 일을 맡게 되었지.

목사가 넬에게 말했어.

“이곳이 별로라는 건 나도 알아요. 젊은 사람이 지내기에 이 교회는 너무 칙칙하고 오래된 곳이죠. 이런 시시한 교회를 돌보는 것보다는 춤을 추러 가거나 놀러 나가거나 들판을 뛰어다니는 게 더 재미있겠지요.”

“저는 괜찮아요.”

넬이 대답했어. 솔직히 넬은 이렇게 평화롭고 아늑한 곳을 발견한 게 진심으로 다행스러웠거든. 그래서 자그마한 돌집을 안락하게 꾸미기 위해 열심히 일을 했어. 넬은 낡은 커튼

과 카펫을 수선했어. 마틴 씨는 집 밖의 풀과 웃자란 나무를 손질했고, 할아버지는 자기가

할 수 있는 방법으로 두 사람을 열심히 도왔어. 머지않아 이 작은 집은 그럴듯한 모습이 되었단다.

넬과 할아버지는 친구도 금방 사귀었어. 모든 게 다시 정상으로 돌아왔지. 아니, 적어도 그렇게 보였어. 하지만 몇 주 동안 춥고 피곤하고 굶주린 채로 잉글랜드 전역을 여행한 탓에 넬은 건강이 나빠졌어. 날이 갈수록 점점 더 창백하고 허약해졌지. 넬은 종종 걱정 어린 표정으로 자기를 쳐다보는 할아버지의 시선을 느끼곤 했어.

다시 런던으로

넬과 할아버지가 런던을 떠난 이후, 키트 너블즈는 끔찍한 나날을 보내고 있었어. 오래된 골동품 상점에서의 일자리뿐만 아니라 친구까지 잃었으니까. 하지만 얼마 가지 않아 키트는 갈런드 가족의 집에서 일을 하게 되었어. 갈런드 가족의 집엔 갈런드

부부와 다 큰 아들, 아벨 갈런드가 있었어. 그들은 런던 변두리의 시골집에 사는 행복한 가족이었지.

키트는 마구간 위에 있는 방을 쓰면서 말을 돌보는 일을 맡았어.

이곳의 모든 것은 완벽할 정도로 잘 정돈되어 있고 깔끔했어. 집안일을 도맡아 하는 하인, 바바라도 깔끔하고 착한 아이였지. 그리고 키트가 보기에 이 소녀는 예쁘기까지 했어.

키트는 다시 행복해졌을지 모르지만, 퀼프는 그렇지 않았어. 퀼프는 넬과 할아버지가 자기에게 말도 없이 오래된 골동품 상점을 몰래 빠져나갔다는 사실에 잔뜩 화가 나 있었거든.

작별 인사를 하고 싶었는데 못 해서 그렇냐고? 아니, 퀼프는 넬과 할아버지를 직접 문밖으로 내쫓고 싶었던 거야. 눈물을 글썽거리며 길거리를 터덜터덜 걸어가는 두 사람을 보며

한껏 비웃고 싶었지. 문 앞에 서서 고소해하는 표정을 지으며, 그 커다란 머리를 끄덕이고 두 손을 비비고 싶었어. 그런데 두 사람이 도망을 친 거야. 그들을 처참하게 만들고 싶었는데 그 기회를 놓치고 만 거지. 그게 너무 분했어!

퀼프는 일주일 내내 기분이 최악인 상태로 지내고 있었어. 그러던 어느 날 하필 키트가 퀼프의 눈에 띈 거야.

키트는 종종 오래된 골동품 상점에 들르곤 했어. 창문으로 가게 안을 들여다보며 그 안을 가득 채웠던 신기한 물건들을 떠올렸지.

퀼프가 키트를 발견했을 때는 마침 바바라도 함께 있었어. 바바라에게 자기가 일했던 가게를 보여 주고 있었거든. 퀼프는 오래된 골동품 상점의 지하 창문으로 그들을 지켜보고 있었어. 워낙 키가 작아서 창턱에 겨우 머리가 닿을까 말까 했지. 그래서 키트와 바바라는 그가 거기 있는지도 몰랐어.

퀼프는 바바라가 누구인지 몰랐어. 그저 입고 있는 옷으로 보아 하인으로 일하는 소녀인 것 같았지. 그런데 바바라가 웃을 때마다 키트도 함께 웃는 게 아니겠어?

"불쾌하군."

퀼프가 혼자 중얼거렸어. 그는 사람들이 웃

는 모습을 보는 게 싫었어. 그래서 키트의 얼굴에서 저 미소를 빼앗아야겠다고 다짐했지.

퀼프는 키트가 갈런드 가족의 집에서 일하고 있다는 사실을 알아냈어. 그리고 자신의 변호사인 샘슨 브래스에게도 이 이야기를 전달했어. 그런데 신기하게도 샘슨은 갈런드 씨의 변호사 일도 맡고 있었어. 즉 샘슨과 갈런드 씨가 종종 편지를 주고받는다는 뜻이었지. 퀼프는 갑자기 아주 기발하지만, 동시에 아주 사악한 아이디어를 떠올렸어. 그는 샘슨에게 말했어.

"갈런드 씨에게 전하시오. 다음부터 편지를 주고받을 때는 우체국을 통하지 말고 사람을 보내라고 말이오. 그리고 다른 사람 말고 꼭 키트가 직접 편지를 갖고 와야 한다고 말하시오."

샘슨은 고개를 끄덕였어. 곧이어 퀼프의 얼굴엔 끔찍한 미소가 번졌어. 그는 샘슨에게 이렇게 속삭였어.

“그래서 키트가 편지를 가지고 자네 사무실로 오거든 그다음엔 어떻게 하냐면…….”

키트를 향한 음모

리처드 스위블러라는 사람이 샘슨의 사무실에서 일한다는 이야기 기억하지? 어느 날 샘슨과 리처드가 대화를 나누고 있었어. 샘슨 변호사는 최근에 돈을 잃어버렸다고 했어. 누군가 훔쳐 갔을지도 모르겠다고 했지.

그는 이런 이야기를 하며 5파운드 지폐를 불빛에 비춰 보았어. 그

러고는 자기 책상 속 다른 서류들 사이에 지

폐를 숨겼어.

리처드는 당황스러웠어.

"음, 변호사님. 지금 돈을 책상에 넣은 건가요? 주머니에 잘 넣어 두지 않으면 잃어버릴지도 몰라요."

그러자 샘슨이 웃으며 말했어.

"아, 아니야. 지금은 그럴 일 없네. 난 돈을 여기에 넣어 둘 거야. 어쨌든 자네는 도둑이 아니지 않나. 난 자네를 철석같이 믿거든."

그러더니 샘슨은 리처드에게 근처 다른 변호사에게 서류를 갖다주라며 심부름을 보냈어.

잠시 후 키트가 갈런드 씨가 보낸 편지를 갖고 왔어. 샘슨은 그를 반갑게 맞아 주었지.

"모자를 벗고 편하게 있게나."

샘슨이 말했어.

샘슨은 키트의 모자를 받아서 책상 위에 올

려 두었어. 샘슨은 낡고 커다란 모자를 괜히 두어 번 휘휘 돌렸어. 그리고 뭔가를 찾는 듯이 책상 위에 있는 서류를 뒤적거렸지. 그러더니 수상하게도 몇 분만 나갔다 오겠다고 말했어.

샘슨은 리처드가 심부름을 끝내고 온 바로 그때 다시 사무실로 돌아왔어. 그리고 키트에게는 이만 돌아가라고 말했지. 키트가 문을 닫고 나간 순간, 샘슨은 책상으로 달려가 서류를 뒤졌어.

"사라졌어! 사라졌다고!"

샘슨은 책상 위, 아래, 안을 다 살폈어. 그리고 주머니도 차례차례 뒤져 보았어.

"저 고약한 키트 녀석이 내 돈을 훔쳐 갔어. 빨리 쫓아가서 잡아!"

샘슨이 리처드에게 말했어.

두 사람은 사무실을 뛰어나갔어. 아직 키트가 멀리 가지 않아서 금방 붙잡을 수 있었지.

"거기 서라!"

샘슨이 키트의 한쪽 어깨를 잡고 외쳤어.

리처드는 다른 쪽 어깨를 붙잡았지.

"아직 멀리 못 갔군요. 저희랑 이야기 좀 하시죠."

그들은 키트를 샘슨의 사무실로 다시 데려왔어. 키트는 너무 당황스럽고 겁이 났지. 키트의 얼굴은 창백하다 못해 회색빛으로 일그러졌어. 하지만 키트는 아무 죄도 없었어.

"왜 그러세요. 어디 한번 뒤져 보세요."

키트가 자기 옷을 가리키며 말했어.

샘슨은 키트의 모자를 벗겨 리처드에게 내밀었어. 그리고 키트가 입은 외투의 주머니를 뒤졌지. 자잘한 물건이 들어 있었지만 돈은 나오지 않았어.

"모자 안쪽을 확인해 보게나."

샘슨이 리처드에게 말했어.

리처드가 모자 안감 속에 끼워 놓은 손수건을 끄집어냈어. 그리고 깜짝 놀라 헉 소리를 냈지. 손수건 사이에 잃어버린 5파운드 지폐가 들어 있었던 거야.

키트는 어안이 벙벙했어.

리처드 역시 무척 놀랐어. 키트가 도둑일 거라고는 꿈에도 생각을 못 했거든.

샘슨은 놀란 척 연기를 했어. 당연히 실제로는 전혀 놀라지 않았지. 키트의 모자 안에 5파운드를 넣어 놓은 사람이 바로 자기였으니까. 그리고 리처드가 그 '잃어버린' 돈을 발견하도록 꾸며 놓았지.

신고를 받고 온 경찰관이 불쌍한 키트를 데리고 갔어.

키트의 상황은 점점 더 나빠졌어. 그는 도둑질로 재판을 받기 전까지 몇 날 며칠을 감옥에서 보내야 했지. 키트의 재판은 런던에서 가장 유명한 법정인 올드 베일리에서 열리게 되었어.

판사가 키트에게 큰 소리로 외쳤어.

“어떻게 답변하시겠습니까? 유죄입니까, 무죄입니까?”

“무죄입니다.”

키트가 떨리는 목소리로 대답했어.

하지만 샘슨은 키트에게 불리한 증언을 했어. 리처드 역시 내키지 않았지만 샘슨이 시키는 대로 키트에게 불리한 이야기를 했지.

게다가 5파운드 지폐가 어떻게 키트의 모자에 들어갔는지 설명할 방법이 없었어. 키트가 돈을 훔쳐서 직접 모자 안에 넣는 것 말고는 그럴듯한 설명이 떠오르지 않았어.

배심원들은 줄곧 기분 나쁘게 수군거리고 키득거리고 코웃음을 치더니, 결국 키트가 유죄라는 판결을 내렸지. 이제 키트는 그 벌로 런던에서 쫓겨나 호주로 보내지게 되었어.

키트에 대한 소식은 갈런드 부부와 바바라에게도 빛처럼 빠르게 전해졌어. 그들은 너무 속상했어. 갑자기 마음의 준비를 할 겨를도 없이 하인이자 친구를 잃게 되었으니까. 한편 리처드에게도 무척 속상한 일이 생겼어. 그의 건강이 급속도로 나빠졌거든.

다니엘 퀼프의 최후

샘슨의 집에서 일하는 하녀는 샘슨이 퀼프와 함께 음모를 꾸몄다는 사실을 알고 있었어. 퀼프가 샘슨에게 하는 이야기를 우연히 들었거든. 5파운드 지폐를 키트에게 숨기고 키트가 돈을 훔친 척하라는 이야기 말이야.

하녀는 샘슨이 무섭고, 퀼프는 더 무서워서 그 비밀을 혼자서만 간직하고 있었어. 하지만 더 이상 가만히 있을 수가 없었어. 이제 곧 키트가 호주로 쫓겨날 상황이었으니까. 하녀는 자기가 나서야 한다고 생각했어. 그래서 리처드에게 자기가 엿들은 이야기를 모두 털어놓았어.

리처드는 너무나 다행이라고 생각했어. 키트를 구할 수 있게 되었으니까! 급히 건강을 회복한 리처드는 곧장 이불을 박차고 일어나 갈런드 가족을 찾아갔어. 이야기를 들은 갈런드 가족은 곧바로 샘슨에게 따지러 갔지.

갈런드 씨는 화가 많이 나 있었어. 얼굴이 새빨갛게 일그러진 그는 주름진 손으로 주먹을 쥐고 부들부들 떨었지.

샘슨은 고개를 저으며 더듬거렸어.

"하지만, 그게, 제 잘못은 아니라고요. 그건 다 퀼프 씨의 생각이었어요."

결국 이 겁쟁이 변호사는 자기 잘못을 고백하는 글을 쓰고 사인을 했어.

날이 어두워지고 있었어. 퀼프는 강 근처에 있는 자기 사무실 책상에 앉아 있었지. 그는 화가 잔뜩 났어. 키트를 곤경에 빠트리려는 계획도 어긋났고, 이제 자기가 심각한 위험에 빠지게 될 참이었으니까.

그때 누군가 시끄럽게 현관문을 두드렸어.

"문 열어요! 어서 문 열라고요! 경찰입니다!"

쩌렁쩌렁한 목소리가 울려 퍼졌어. 쾅! 쾅! 쾅! 주먹으로 문을 때리는 소리도 났지.

하지만 퀼프는 무자비할 뿐만 아니라 교활하기까지 한 사람이었어. 그는 몰래 뒷문으로 가서 캄캄한 골목으로 빠져나갔단다.

어느새 밤이 찾아온 데다 강에서 안개가 피어올라 앞이 거의 보이지 않았어. 퀼프는 손을 뻗어 더듬거리며 비틀비틀 걸어갔지.

뒤에서는 계속해서 그를 부르는 목소리가 들렸어.

그렇게 비틀거리던 퀼프는 균형을 잃고…… 아래로 떨어지고 말았어.

그리고 물에 빠지고 만 거야. 차가운 검은 물이 그의 코와 입으로 밀려들어 왔어. 퀼프는 필사적으로 허우적거렸지만 물살이 너무나 셌어. 숨을 꾹 참고 수영을 해 보려고도 했어. 그때 머리 위로 시커먼 그림자가 드리워졌어.

손을 뻗어 보니 부드럽고 매끈한 것이 느껴졌어. 그것은 커다란 배의 몸체였던 거야. 그 배는 퀼프를 물속으로 깊이, 더 깊이 밀어냈어.

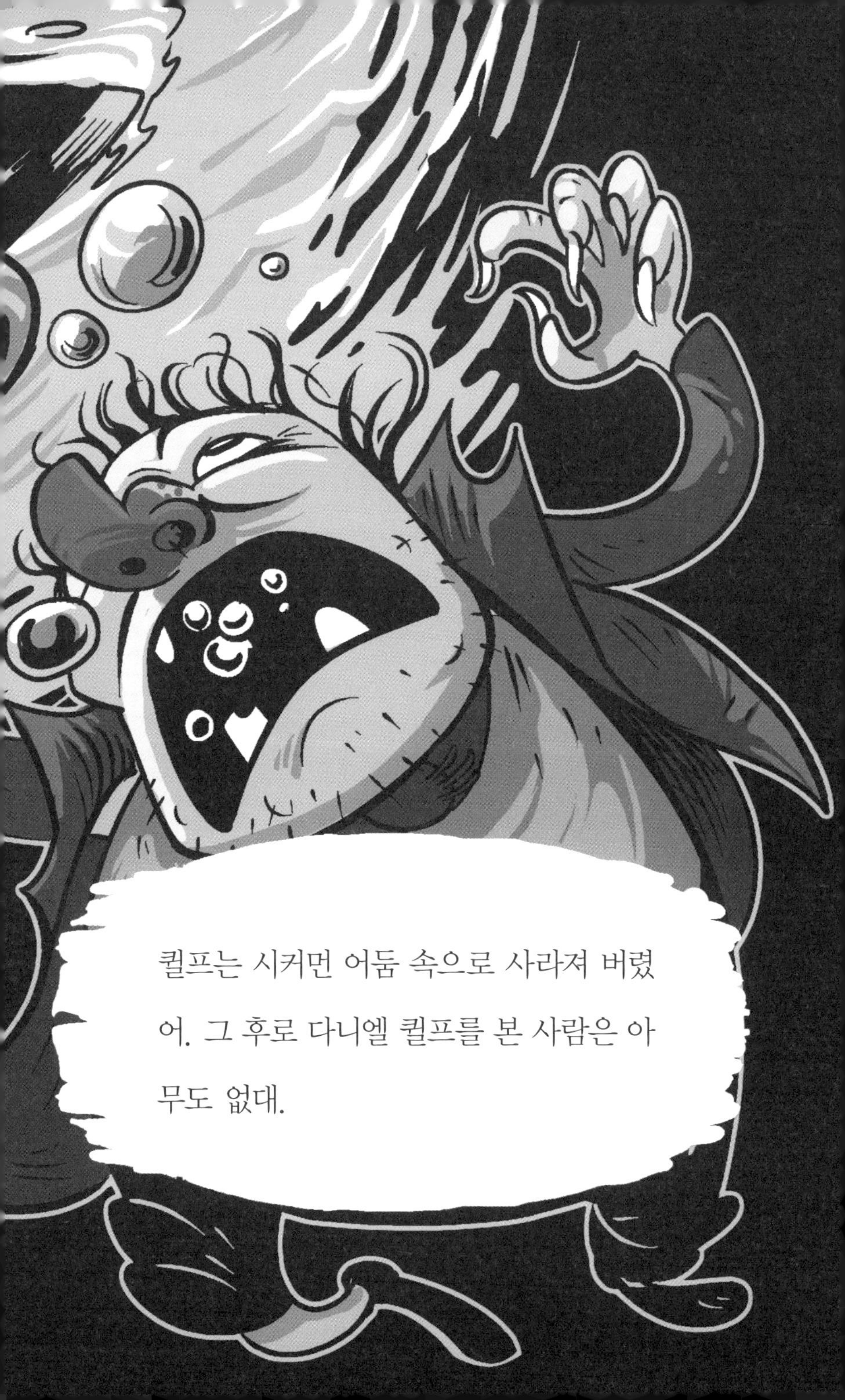
퀼프는 시커먼 어둠 속으로 사라져 버렸어. 그 후로 다니엘 퀼프를 본 사람은 아무도 없대.

넬의 마지막

안타깝게도 모든 결말이 해피엔딩일 순 없지. 이 이야기도 해피엔딩과는 거리가 멀어.

당연히 키트는 감옥에서 풀려나 무척 기뻤어. 갈런드 가족과 바바라, 리처드도 친구를 되찾아 행복했지. 하지만 키트의 행복은 그리 오래가지 못했어. 어느 날 아침, 침실 창문으로 해가 빼꼼히 고개를 내밀 때, 키트는 마턴 씨에게서 편지 한 통을 받게 되었어. 넬과 할아버지의 옆집에 사는 교사 마턴 씨 말이야.

그 편지에는 넬이 무척 위독하니 빨리 넬을 보러 와야 한다는 내용이 적혀 있었어.

키트는 갈런드 부부와 바바라, 리처드에게 이 소식을 알렸어. 그들은 다 같이 넬과 할아버지가 사는 시골 마을로 떠났단다.

그들이 작은 돌집에 도착했을 때는 이미 겨울이 되어 있었어. 수정처럼 작고 예쁜 눈송이가 펄펄 쏟아지고 있었지. 눈은 새하얗게 빛나는 카펫처럼 풀밭을 뒤덮었어.

키트는 넬의 작은 집 문을 벌컥 열고 넬이 누워 있는 침대로 달려갔어.

"넬! 넬, 내가 왔어."

키트가 울먹이며 말했어.

하지만 너무 늦어 버렸어. 넬은 이미 숨을 거둔 뒤였어.

불쌍한 할아버지는 며칠을 울었어. 그리고 몇 주 지나지 않아 그마저도 세상을 떠나고 말았지.

넬은 많은 사람들, 특히 교사인 마턴 씨와 시골 아이들의 마음속에 행복한 기억을 남겼어. 물론 키트에게도 마찬가지였지. 키트는 오랜 친구 넬을, 그리고 오래된 골동품 상점에서의 즐거운 시간을 절대로 잊지 않기로 했어.

넬이 죽고 얼마 지나지 않아, 키트는 바바라와 결혼을 했어. 그는 아내와 아이들에게도 자신의 추억을 함께 나눴단다. 키트는 가끔 넬이 살았던 거리로 가족들을 데리고 가기도 했어. 물론 그곳은 예전 같지 않았어. 오래된 골동품 상점은 이미 허물어지고 넓은 도로가 생

겼거든.

처음에 키트는 막대기로 바닥에 네모를 그리며 아이들에게 상점이 있었던 자리를 보여 주었어. 하지만 점점 시간이 갈수록 헷갈리기 시작했어. 상점이 여기였던가, 아니면 저기였던가?

그렇게 세월이 흘렀어. 하지만 아무리 시간이 흘러도 옛 기억만은 사라지지 않았지. 넬과 할아버지는 키트와 그의 가족들 마음속에 영원히 살았단다.

찰스 디킨스

1812년 영국 포츠머스에서 태어났어요. 찰스 디킨스는 소설 속 등장인물들처럼 가난했고 힘든 어린 시절을 보냈어요. 하지만 어른이 된 그는 자신이 쓴 책으로 전 세계에 알려졌고, 그 시대 가장 중요한 작가 중 한 명으로 기억되고 있답니다.

산티아고 칼레 그림

일러스트 및 애니메이션 작가예요. 콜롬비아의 도시 메데인에서 태어나 영국의 에든버러 예술 대학에서 공부했어요. 학생들을 가르친 경험을 통해 만화의 '연속 예술(시퀀스 아트)'에 대해 깊이 연구했습니다. 2006년에 콜롬비아의 수도 보고타에 스튜디오를 차리고 일러스트와 만화, 애니메이션 등을 제작하는 데 힘을 쏟고 있답니다.

윤영 옮김

서울대학교 미학과를 졸업하고 같은 대학원에서 고고미술사학과를 수료했습니다. 현재는 번역 에이전시 엔터스코리아에서 번역가로 활동 중입니다. 옮긴 책으로는 〈암호 클럽〉 시리즈, 〈복면공주〉 시리즈 등이 있습니다.

오래된 골동품 상점

초판 1쇄 발행 2023년 6월 27일

글 찰스 디킨스 | 그림 산티아고 칼레 | 옮김 윤영

ISBN 979-11-6581-428-1 (74840)
ISBN 979-11-6581-418-2 (세트)

* 잘못 만들어진 책은 구입하신 곳에서 바꾸어 드립니다.

발행처 주식회사 스푼북 | 발행인 박상희 | 총괄 김남원
편집 김선영 · 박선정 · 김선혜 · 권새미 | 디자인 조혜진 · 김광휘 | 마케팅 손준연 · 이성호 · 구혜지
출판신고 2016년 11월 15일 제2017-000267호
주소 (03993) 서울시 마포구 월드컵북로 6길 88−7 ky21빌딩 2층
전화 02-6357-0050(편집) 02-6357-0051(마케팅)
팩스 02-6357-0052 | 전자우편 book@spoonbook.co.kr

제품명 오래된 골동품 상점
제조자명 주식회사 스푼북 | **제조국명** 대한민국 | **전화번호** 02−6357−0050
주소 (03993) 서울시 마포구 월드컵북로6길 88−7 ky21빌딩 2층
제조년월 2023년 6월 27일 | **사용연령** 8세 이상
※ KC마크는 이 제품이 공통안전기준에 적합하였음을 의미합니다.

⚠ 주 의

아이들이 모서리에 다치지 않게 주의하세요.